pigion 2000

*Blas ar y sgrifennu gorau
yn y Gymraeg.*

Teitlau cyntaf y gyfres:
1. WALDO –
Un funud fach
2. Y MABINOGION –
Hud yr hen chwedlau Celtaidd
3. GWYN THOMAS –
Pasio heibio
4. PARSEL NADOLIG –
Dewis o bytiau difyr

Y teitlau nesaf:
5. EIGRA LEWIS ROBERTS
6. DIC JONES
7. DANIEL OWEN
8. GWLAD! GWLAD! –
Dewis o bytiau difyr am Gymru

**Golygydd y gyfres:
Tegwyn Jones**

**Cyhoeddwyr:
Gwasg Carreg Gwalch
Pris:
£1.99 yr un**

WALDO
Un funud fach

Golygydd y gyfres:
Tegwyn Jones

GWASG Carreg Gwalch

Argraffiad cyntaf: Hydref 1998

ⓗ *Pigion 2000: Gwasg Carreg Gwalch*

ⓗ *testun : gweler cyhoeddiadau gwreiddiol*

*Rhif Llyfr Safonol Rhyngwladol:
0–86381–500–6*

Cyhoeddir o dan gynllun comisiwn Cyngor Llyfrau Cymru.

Cynllun y clawr: Adran Ddylunio'r Cyngor Llyfrau

*Argraffwyd a chyhoeddwyd gan Wasg Carreg Gwalch,
12 Iard yr Orsaf, Llanrwst, Dyffryn Conwy.*
☎ *(01492) 642031*

Cedwir hawlfraint holl weithiau Waldo Williams gan ei deulu, a hyfryd yw cael diolch i Mrs Eluned Richards, Waun-fawr, Aberystwyth, am ei chaniatâd caredig i atgynhyrchu'r cerddi a welir yn y casgliad hwn. Y mae ein diolch hefyd yn ddyledus i Wasg Gomer, Christopher Davies a Gwasg Gregynog am eu cydweithrediad parod hwythau, ac i Adran Llawysgrifau a Chofysgrifau'r Llyfrgell Genedlaethol am bob rhwyddineb i gopïo'r cerddi sydd mewn llawysgrifen yno.

Cynnwys

Cyflwyniad

Brodor o Brendergast, Hwlffordd, sir Benfro, a
ddysgodd Gymraeg pan oedd yn seithmlwydd oed
oedd Waldo Williams, a hynny wedi i'w deulu
symud i fyw i Fynachlog-ddu yn y Benfro
Gymraeg. Bu'r gymdogaeth dda, y cyd-dynnu a'r
cydweithredu a nodweddai'r gymdeithas yno yn
ysbrydoliaeth iddo fel bardd weddill ei oes.
Graddiodd o Goleg Aberystwyth rhwng y ddau
Ryfel Byd, a daeth i gysylltiad agos yno â'r
dramodydd a'r digrifwr, Idwal Jones, Llambed, er
mawr fudd i'n llenyddiaeth ysgafn. Wedi
blynyddoedd o ddysgu mewn ysgolion yng
Nghymru a Lloegr, gorffennodd ei yrfa'n diwtor
Adran Allanol o dan ei hen Goleg. Tasg anodd yw
ceisio portreadu Waldo mewn geiriau, ond cytuna
pawb a'i hadnabu ei fod yn un o'r eneidiau prin
hynny a osodir yn ein plith o bryd i'w gilydd nad
ymdebygant i neb a fu o'u blaen nac ar eu hôl.
Nodweddid ef gan ffydd ddiysgog ym
mrawdoliaeth heddychol pobl â'i gilydd, a chan ei
gariad mawr at Gymru a'r iaith Gymraeg –
deubeth a barodd iddo ei gael ei hun yn ei dro yn
ymgeisydd seneddol tra annhebygol, a hefyd yn
westai yng Ngharchar ei Mawrhydi yn Abertawe.
Yr oedd dwy wedd bendant ar ei bersonoliaeth
meddai W Rhys Nicholas, un arall o feibion sir
Benfro a adwaenai Waldo'n dda. 'Ar y naill law, y

bardd-athronydd cyfoethog ei ddelwau, angerddol ei gyfriniaeth, a'i dosturi mawr yn llifo i holl fowldiau ei feddwl creadigol. Ar y llaw arall, y cymeriad agos-atoch, trwyadl naturiol a dirodres, a'i synnwyr digrifwch yn aml fel balm ar glwy.' Prin y soniodd neb amdano heb gyfeirio at y synnwyr digrifwch, y direidi hoffus hwn a oedd yn gymaint rhan ohono â'r ochr ddwys ddifrifol. 'Mawr obeithiaf', meddai W R Evans, un arall eto fyth o feibion enwog sir Benfro, mewn ysgrif yn *Y Genhinen* (Haf 1971), 'y daw cyfrol arall i ddilyn *Dail Pren* – cyfrol o'i bethau dwys a difrifol. Ond byddai'n drasiedi pe na cheid cyfrol hefyd o'i bethau ysgafn a digri, ar gyfer yr oes a ddêl'. Cyn cyhoeddi'r casgliad presennol hwn, un gyfrol o waith Waldo a gafwyd i olynu *Dail Pren*, sef *Cerddi Waldo Williams*, detholiad gyda rhagymadrodd gan J E Caerwyn Williams (Gwasg Gregynog, 1992). Yn yr argraffiad cyfyngedig hwn o 300 copi ceir y rhan fwyaf o gerddi mawr *Dail Pren*, ynghyd â nifer o gerddi eraill o bwys na welodd y bardd yn dda i'w cynnwys yn y casgliad hwnnw. Mewn nodyn ar ddechrau casgliad Gregynog o'i gerddi, dywedir fod y penderfyniad wedi ei wneud 'yn gam neu'n gymwys' i hepgor cerddi digrif y bardd 'er waethaf y ddadl fod y digrif a'r difrif yn aml yn gorgyffwrdd'. Gan i Waldo ei hun roi lle i rai o'i gerddi ysgafn yn *Dail Pren*, teimlwyd na ddylid hepgor cynrychiolaeth fechan ohonynt yma, nac ychwaith rai cerddi swynol i blant a luniodd ac a gyhoeddodd ar y cyd ag E Llwyd Williams yn y gyfrol *Cerddi'r Plant* (1970). Cynhwyswyd hwy yma felly ochr yn ochr â rhai o'r cerddi Cymraeg mwyaf cofiadwy ac ysgytiol ein cyfnod ni, gan gredu'n ffyddiog nad annerbyniol fyddai hynny gan Waldo ei hun.

Y Tangnefeddwyr

Uwch yr eira, wybren ros,
  Lle mae Abertawe'n fflam.
Cerddaf adref yn y nos,
  Af dan gofio 'nhad a 'mam.
Gwyn eu byd tu hwnt i glyw,
Tangnefeddwyr, plant i Dduw.

Ni châi enllib, ni châi llaid
  Roddi troed o fewn i'w tre.
Chwiliai 'mam am air o blaid
  Pechaduriaid mwya'r lle.
Gwyn eu byd tu hwnt i glyw,
Tangnefeddwyr, plant i Dduw.

Angel y cartrefi tlawd
  Roes i 'nhad y deuberl drud:
Cennad dyn yw bod yn frawd,
  Golud Duw yw'r anwel fyd.
Gwyn eu byd tu hwnt i glyw,
Tangnefeddwyr, plant i Dduw.

Cenedl dda a chenedl ddrwg –
  Dysgent hwy mai rhith yw hyn,
Ond goleuni Crist a ddwg
  Ryddid i bob dyn a'i myn.
Gwyn eu byd, daw dydd a'u clyw,
Dangnefeddwyr, plant i Dduw.

Pa beth heno, eu hystâd,
  Heno pan fo'r byd yn fflam?
Mae Gwirionedd gyda 'nhad
  Mae Maddeuant gyda 'mam.
Gwyn ei byd yr oes a'u clyw,
Dangnefeddwyr, plant i Dduw.

Cofio

Un funud fach cyn elo'r haul o'r wybren,
  Un funud fwyn cyn delo'r hwyr i'w hynt,
I gofio am y pethau anghofiedig
  Ar goll yn awr yn llwch yr amser gynt.

Fel ewyn ton a dyr ar draethell unig,
  Fel cân y gwynt lle nid oes glust a glyw,
Mi wn eu bod yn galw'n ofer arnom –
  Hen bethau anghofiedig dynol ryw.

Camp a chelfyddyd y cenhedloedd cynnar,
  Anheddau bychain a neuaddau mawr,
Y chwedlau cain a chwalwyd ers canrifoedd
  Y duwiau na ŵyr neb amdanynt 'nawr.

A geiriau bach hen ieithoedd diflanedig,
  Hoyw yng ngenau dynion oeddynt hwy,
A thlws i'r clust ym mharabl plant bychain,
  Ond tafod neb ni eilw arnynt mwy.

O, genedlaethau dirifedi daear,
  A'u breuddwyd dwyfol a'u dwyfoldeb brau,
A erys ond tawelwch i'r calonnau
  Fu gynt yn llawenychu a thristáu?

Mynych ym mrig yr hwyr, a mi yn unig,
  Daw hiraeth am eich 'nabod chwi bob un;
A oes a'ch deil o hyd mewn cof a chalon,
  Hen bethau anghofiedig teulu dyn?

Menywod

Pe meddwn fedr arlunydd byw
  Fel hen Eidalwyr 'slawer dydd
Fu'n taenu gogoniannau Duw
  Ar furiau coeth eglwysi'r Ffydd,
Mi baentiwn ddarlun Phebi'r Ddôl
Yn magu Sioni bach mewn siôl.

Pe medrwn gerfio maen â dawn
  Gymesur â'r hen Roegiaid gwych
A roddai osgedd bywyd llawn
  I garreg oer, ddi-deimlad, sych,
Mi gerfiwn wyneb Bet Glan-rhyd
Yn gryf, yn hagr, yn fyw i gyd.

Pe meddwn grefft dramodydd mawr
  I dorri cymeriadau byw,
A rhoi i'r byd ar lwyfan awr
  Ymdrech ddihenydd dynol-ryw,
'Sgrifennwn ddrama Sali'r Crydd
Yn lladd ellyllon ffawd â'i ffydd.

Fe lonnai Phebi'n wên i gyd
  Pan rown y darlun pert o'i blaen,
Ac ymfalchïai Bet Glan-rhyd
  Wrth weld ei hen, hen ben yn faen,
A dwedai Sali'n siriol: 'Twt!
Pa ddwli'n awr sydd ar y crwt?'

Dau Gymydog

I

Pa ddyn mwy diddan dan ei do
Yn llunio cafn y llwy?
Pe peidiai twca John Pen Sarn
Nid ofnai masarn mwy.

Ond mwy na'i lwy yw mêl ei gell,
A phell tu hwnt i fferm,
Ef piau'r meillion gwyn a'r grug
A'i dug yn ôl ei derm.

Ond mwy na'r mêl o dan ei drem
Yw'r anthem yn y Rhyd.
O, llawer, llawer mwy na'r mêl.
Er hyn nid mêl i gyd.

II

Gŵr cynffon y cynhaeaf gwair,
A gair trwy'r cwm i gyd
Am golli cyfle'r tywydd braf,
A'r olaf gyda'r ŷd.

Ond daeth i'w deyrnas heddiw'r dydd,
Pa ledrith sydd lle syrth
Cwmwl a chwmwl, cnaif a chnaif
O dan y gwellaif gwyrth?

Gwell torri'r cnu na'r cnydau, medd,
A sylwedd mwy na sofl
Yw teimlo teimlo dan law clod
A gwybod yn y gofl.

Yr Hen Allt

Wele, mae'r hen allt yn tyfu eto,
   A'i bywyd yn gorlifo ar bob tu
Serch ei thorri i lawr i borthi uffern
   Yn ffosydd Ffrainc trwy'r pedair blynedd ddu.

Pedair blynedd hyll mewn gwaed a llaca,
   Pedair blynedd erch 'mysg dur a phlwm –
Hen flynyddoedd torri calon Marged,
   A blynyddoedd crino enaid Twm.

Ond wele, mae'r hen allt yn tyfu eto
   A'i chraith yn codi'n lân oddi ar ei chlwy . . .
A llywodraethwyr dynion a'u dyfeiswyr
   Yn llunio arfau damnedigaeth fwy.

O'r hen allt fwyn, fe allwn wylo dagrau,
   Mor hyfryd-ffôl dy ffydd yn nynol ryw,
A'th holl awyddfryd, er pob gwae, yn disgwyl,
   Yn disgwyl awr datguddiad Meibion Duw.

Yr Hwrdd

Yn sydyn i'w ymennydd neidiodd fflam
  Yn llosgi llydnod â llidiowgrwydd gwyllt
Pan welodd y mamogiaid mwyn a'r myllt
  Yn dod trwy'r bwlch agored, gam a cham
O'r rhos gyferbyn. Yna, heb wybod pam
  Wrth weled wyneb eu harweiniol hwrdd
Llosgodd yn boethach byth – ac aeth i'w gwrdd
  Rhy hyf yn nerth ei ben i ofni nam.
Safant. Ânt ar eu cil, fel bydd eu ffordd,
  A'u pennau i lawr, ar ruthr y daw ynghyd
Eu bas benglogau, fel ag ergyd gordd –
  A gorwedd hwn a'i lygaid gwag, yn fud.
Arweinydd defaid dwl, pe baet yn ddyn
Ni byddai raid it fynd i'r frwydr – dy hun.

Soned i Bedlar

Fe'i collais ef o'r ffordd, a chlywais wedyn
  Fod Ifan wedi cyrraedd pen y daith
Fel arfer, – heb ddim ffwdan anghyffredin,
  'R ôl brwydro storom fawr â'i grys yn llaith.
Ydy' e'n hwtran perlau ar angylion
  Ac yn eistedd yn y dafarn yn ddi-glwy
Wedi galw chwart o gwrw'r anfarwolion
  Cyn troi i mewn i'r 'ysguboriau mwy'?

Wel, 'wn-i ddim. Nid oedd yn neb yn Seion;
  Ymddiried ffôl oedd ynddo'n fwy na'r Ffydd;
A chlyw-wyd ef yn gweyd yn y Red Leion,
  ''R'un lliw â'r lleill yw gwawr y Seithfed Dydd',
A hefyd, 'd oedd dim dal ar ei gareion
  Ac 'roedd ei stwds yn siŵr o ddod yn rhydd.

Mowth-organ

Rho donc ar yr hen fowth-organ –
'Bugeilio'r Gwenith Gwyn',
'Harlech', neu 'Gapten Morgan',
Neu'r 'Bwthyn ar y Bryn'.

'Dwy'-i ddim yn gerddor o gwbwl,
Ond carwn dy weld yn awr –
Dy ddwylo yn cwato'r rhes ddwbwl,
A'th sawdl yn curo'r llawr.

A'r nodau'n distewi yn araf,
Neu'n dilyn ei gilydd yn sionc –
Rhyw hen dôn syml a garaf;
Mae'r nos yn dawel. Rho donc.

Daw'r Wennol yn ôl i'w nyth

Daw'r wennol yn ôl i'w nyth,
O'i haelwyd â'r wehelyth.
Derfydd calendr yr hendref
A'r teulu a dry o dref,
Pobl yn gado bro eu bryd,
Tyf hi'n wyllt a hwy'n alltud.
Bydd truan hyd lan Lini
Ei hen odidowgrwydd hi.

Hwylia o'i nawn haul y nef,
Da godro nis dwg adref.
Gweddw buarth heb ei gwartheg,
Wylofain dôl a fu'n deg.
Ni ddaw gorymdaith dawel
Y buchod sobr a'u gwobr gêl;
Ni ddaw dafad i adwy
Ym Mhen yr Hollt na mollt mwy.

Darfu hwyl rhyw dyrfa wen
O dorchiad y dywarchen,
Haid ewynlliw adeinllaes,
Gŵyr o'r môr gareio'r maes.
Mwy nid ardd neb o'r mebyd
Na rhannu grawn i'r hen grud.
I'w hathrofa daeth rhyfel
I rwygo maes Crug y Mêl.

Mae parabl y stabl a'i stŵr,
Tynnu'r gwair, gair y gyrrwr?
Peidio'r pystylad cadarn,
Peidio'r cur o'r pedwar carn;
Tewi'r iaith ar y trothwy
A miri'r plant, marw yw'r plwy.
Gaeaf ni bydd tragyfyth.
Daw'r wennol yn ôl i'w nyth.

Daffodil

Y cledd gwych ar y clawdd gwâr,
Llyfnwyrdd yw, llafn o'r ddaear,
Arf bro i herio oerwynt,
Er lliw a chân gwân y gwynt.
Mae gwedd rhwng llawer cledd clau,
Antur llu, cynta'r lliwiau
Trwy fwnwgl main o'r wain wyw
Tua'r chwedail, torch ydyw;
Prydferthwch bro, deffroad
Melyn gorn ym mlaen y gad.

Twm Dili, bachgen pennoeth,
Yn lle cap myn y lliw coeth.
Wedi'r dasg, wedi'r disgwyl
Mawrth a'i rhydd ym mhorth yr hwyl.
Hir erys yn yr oerwynt
Chwery'r gêm â chewri'r gwynt.
Chwardd y gwydn serch hwrdd i'w gorff,
Bid lawen fachgen, wychgorff.
Mynnai capten mewn cyptae
Ddeng ŵr fel campwr y cae.

Ledia i maes, Ladi Mawrth,
Ymannerch, eurferch oerfawrth,
Ni faidd ond lili wen fach
O'th flaen, ni thyfai lanach.
Atolwg, dwg ar dy ôl
Do mawr yr ardd dymhorol,
Hyd Ŵyl 'Hangel dawelaf
A'i pherl hwyr a'i Ffarwel Haf,
A gwig adfail gwag ydfaes.
Ladi Mawrth, ledia i maes.

Eirlysiau

Gwyn, gwyn
Yw'r gynnar dorf ar lawr y glyn.
O'r ddaear ddu y nef a'u myn.
Golau a'u pryn o'u gwely pridd
A rhed y gwanwyn yn ddi-glwy
O'u cyffro hwy uwch cae a ffridd.

Pur, pur,
Wynebau perl y cyntaf fflur.
Er eu gwyleidd-dra fel y dur
I odde' cur ar ruddiau cain,
I arwain cyn y tywydd braf
Ymdrech yr haf. Mae dewrach 'rhain?

Glân, glân,
Y gwynder cyntaf yw eu cân.
Pan elo'r rhannau ar wahân
Ail llawer tân fydd lliwiau'r tud.
Ond glendid glendid yma dardd
O enau'r Bardd sy'n llunio'r byd.

Byd yr Aderyn Bach

Pa eisiau dim hapusach
Na byd yr aderyn bach?
Byd o hedfan a chanu
A hwylio toc i gael tŷ.
Gosod y tŷ ar gesail
Heb do ond wyneb y dail.
Wyau'n dlws yn y mwswm,
Wyau dryw, yn llond y rhwm.
Torri'r plisg, daw twrw'r plant
'Does obaith y daw seibiant.
Cegau'n rhwth, a'r cig yn rhad.
'Oes mwydon?' yw llais mudiad.
'S dim cyw cu ar du daear
Tra bo saig un tro heb siâr.
Pawb wrth eu bodd mewn pabell
Is y gwŷdd, oes eisiau gwell?
A hefyd, wedi tyfu,
Hwyl y plant o gael eu plu'.
Codi, yntê, y bore bach
Am y cyntaf, dim cintach.
Golchi bryst, 'does dim clustiau,
Côt, heb fotymau i'w cau,
Na dwy esgid i wasgu.
Ysgol? Oes, a dysg i lu.
Dasg hudfawr, dysgu hedfan
A mab a merch ymhob man.
Dysgu cân, nid piano,

Dim iws dweud do mi so do.
I'w gwely wedi'r golau.
Gwasgu'n glos i gysgu'n glau.
Pa eisiau dim hapusach
Na byd yr aderyn bach?

Geneth Ifanc

*Yn Amgueddfa Avebury, o hen bentref cynnar ar Windmill Hill gerllaw.
Tua 2500 CC.*

Geneth ifanc oedd yr ysgerbwd carreg.
Bob tro o'r newydd mae hi'n fy nal.
Ganrif am bob blwydd o'm hoedran
I'w chynefin af yn ôl.

Rhai'n trigo mewn heddwch oedd ei phobl,
Yn prynu cymorth daear â'u dawn.
Myfyrio dirgelwch geni a phriodi a marw,
Cadw rhwymau teulu dyn.

Rhoesant hi'n gynnar yn ei chwrcwd oesol.
Deuddeg tro yn y Croeso Mai
Yna'r cydymaith tywyll a'i cafodd.
Ni bu ei llais yn y mynydd mwy.

Dyfnach yno oedd yr wybren eang
Glasach ei glas oherwydd hon.
Cadarnach y tŷ anweledig a diamser
Erddi hi ar y copâu hyn.

Angharad

Angharad, gwraig Ieuan Llwyd o Lyn Aeron oedd â'r gŵn ysgarlad yn y
farwnad a ganodd Dafydd ap Gwilym iddi. Fy mam yw'r Angharad hon.

Dros lawer y pryderai
Liw nos, a chydlawenhâi,
Synhwyro'r loes, uno â'r wledd,
Yn eigion calon coledd.
I'w phyrth deuai'r trafferthus
A gwyddai'r llesg ddôr ei llys.
Gŵn sgarlad Angharad oedd
Hyd ei thraed, o weithredoedd.

Dwyn helbulon y fron frau,
Trwy'i chyfnerth trechu ofnau.
Ar ei glin y bore glas
Rhôi ei diwrnod i'r Deyrnas,
A rhoi symledd ei heddiw
Yn win i'r Brenin a'r briw.
Ymorol am Ei olud,
Ailgreu â'i fawl ddilwgr fyd.
Chwaer haul a chwaer awelon,
Chwaer i'r dydd lle chwery'r don,
A chwaer i'r sêr pryderus
Gan arial gofal eu gwŷs.

Torri dig a chenfigen
Iacháu a ffrwythau ei phren,
Lledu'n rhad y llydan rodd.
Hen ing a'i llawn ehangodd,
Hiraeth yn tystiolaethu
O'i wraidd dwfn yn y pridd du.
Rhoddai i Dduw o'r ddwy wedd,
Ing a hoen yn gynghanedd.
Rhôi i ni yn awyr Nêr
Offeiriadaeth ei phryder.

Preseli

Mur fy mebyd, Foel Drigarn, Carn Gyfrwy, Tal
                                    Mynydd,
Wrth fy nghefn ym mhob annibyniaeth barn.
A'm llawr o'r Witwg i'r Wern ac i lawr i'r Efail
Lle tasgodd y gwreichion sydd yn hŷn na harn.

Ac ar glosydd, ar aelwydydd fy mhobl –
Hil y gwynt a'r glaw a'r niwl a'r gelaets a'r grug,
Yn ymgodymu â daear ac wybren ac yn cario
Ac yn estyn yr haul i'r plant, o'u plyg.

Cof ac arwydd, medel ar lethr eu cymydog.
Pedair gwanaf o'r ceirch yn cwympo i'w cais,
Ac un cwrs cyflym, ac wrth laesu eu cefnau
Chwarddiad cawraidd i'r cwmwl, un llef pedwar llais.

Fy Nghymru, a bro brawdoliaeth, fy nghri,fy
nghrefydd,
Unig falm i fyd, ei chenhadaeth, ei her,
Perl yr anfeidrol awr yn wystl gan amser,
Gobaith yr yrfa faith ar y drofa fer.

Hon oedd fy ffenestr, y cynaeafu a'r cneifio.
Mi welais drefn yn fy mhalas draw.
Mae rhu, mae rhaib drwy'r fforest ddiffenestr.
Cadwn y mur rhag y bwystfil, cadwn y ffynnon rhag y
baw.

Ar Weun Cas' Mael

Mi rodiaf eto Weun Cas' Mael
A'i pherthi eithin, yn ddi-ffael,
Yn dweud bod gaeaf gwyw a gwael
  Ar golli'r dydd.
'Daw eto'n las ein hwybren hael'
  Medd fflam eu ffydd.

A heddiw ar adegau clir
Uwch ben yr oerllyd, dyfrllyd dir
Dyry'r ehedydd ganiad hir,
  Gloywgathl heb glo,
Hyder a hoen yr awen wir
  A gobaith bro.

O! flodau ar yr arwaf perth,
O! gân ar yr esgynfa serth –
Yr un melystra, trwy'r un nerth,

Yr afiaith drud
O'r erwau llwm a gêl eu gwerth
　　Rhag trem y byd.

O! Gymru'r gweundir gwrm a'r garn,
Magwrfa annibyniaeth barn,
Saif dy gadernid uwch y sarn
　　O oes i oes.
Dwg ninnau atat: gwna ni'n ddarn
　　O'th fyw a'th foes.

Yn dy erwinder hardd dy hun
Deffroit gymwynas dyn â dyn,
Gwnait eu cymdeithas yn gytûn –
　　A'th nerth o'u cefn,
Blodeuai, heb gaethiwed un,
　　Eu haraf drefn.

Dwg ni yn ôl. Daw'r isel gur
Dros Weun Cas' Mael o'r gaethglud ddur:
Yng nghladd Tre Cŵn gwasnaetha gwŷr
　　Y gallu gau.
Cod ni i fro'r awelon pur
　　O'n hogofâu.

Fel i'r ehedydd yn y rhod
Dyro o'th lawr y nwyf a'r nod,
Dysg inni feithrin er dy glod
　　Bob dawn a dardd.
A thrwy dy nerth rho imi fod
　　Erot yn fardd.

Mewn Dau Gae

O ba le'r ymroliai'r môr goleuni
Oedd a'i waelod ar Weun Parc y Blawd a Parc y Blawd?
Ar ôl imi holi'n hir yn y tir tywyll,
O b'le deuai, yr un a fu erioed?
Neu pwy, pwy oedd y saethwr, yr eglurwr sydyn?
Bywiol heliwr y maes oedd rholiwr y môr.
Oddifry uwch y chwibanwyr gloywbib, uwch callwib y
                                                cornicyllod,
Dygai i mi y llonyddwch mawr.

Rhoddai i mi'r cyffro lle nad oedd
Ond cyffro meddwl yr haul yn mydru'r tes,
Yr eithin aeddfed ar y cloddiau'n clecian,
Y brwyn lu yn breuddwydio'r wybren las.
Pwy sydd yn galw pan fo'r dychymyg yn dihuno?
Cyfod, cerdd, dawnsia, wele'r bydysawd.
Pwy sydd yn ymguddio ynghanol y geiriau?
Yr oedd hyn ar Weun Parc y Blawd a Parc y Blawd.

A phan fyddai'r cymylau mawr ffoadur a phererin
Yn goch gan heulwen hwyrol tymestl Tachwedd
Lawr yn yr ynn a'r masarn a rannai'r meysydd
Yr oedd cân y gwynt a dyfnder fel dyfnder
                                                distawrwydd.
Pwy sydd, ynghanol y rhwysg a'r rhemp?
Pwy sydd yn sefyll ac yn cynnwys?
Tyst pob tyst, cof pob cof, hoedl pob hoedl,
Tawel ostegwr helbul hunan.

Nes dyfod o'r hollfyd weithiau i'r tawelwch
Ac ar y ddau barc fe gerddai ei bobl,
A thrwyddynt, rhyngddynt, amdanynt ymdaenai
Awen yn codi o'r cudd, yn cydio'r cwbl,
Fel gyda ni'r ychydig pan fyddai'r cyrch picwerchi
Neu'r tynnu to deir draw ar y weun drom.
Mor agos at ei gilydd y deuem –
Yr oedd yr heliwr distaw yn bwrw ei rwyd amdanom.

O, trwy oesoedd y gwaed ar y gwellt a thrwy'r goleuni
                                                    y galar
  Pa chwiban nas clywai ond mynwes? O, pwy oedd?
  Twyllwr pob traha, rhedwr pob trywydd,
  Hai! y dihangwr o'r byddinoedd
  Yn chwiban adnabod, adnabod nes bod adnabod.
  Mawr oedd cydnaid calonnau wedi eu rhew rhyn.
  Yr oedd rhyw ffynhonnau'n torri tua'r nefoedd
  Ac yn syrthio'n ôl a'u dagrau fel dail pren.

  Am hyn y myfyria'r dydd dan yr haul a'r cwmwl
  A'r nos trwy'r celloedd i'w mawrfrig ymennydd.
  Mor llonydd ydynt a hithau a'i hanadl
  Dros Weun Parc y Blawd a Parc y Blawd heb ludd,
  A'u gafael ar y gwrthrych, y perci llawn pobl.
  Diau y daw'r dirháu, a pha awr yw hi
  Y daw'r herwr, daw'r heliwr, daw'r hawliwr i'r bwlch,
  Daw'r Brenin Alltud a'r brwyn yn hollti.

Brawdoliaeth

Mae rhwydwaith dirgel Duw
Yn cydio pob dyn byw;
Cymod a chyflawn we
Myfi, Tydi, Efe.
Mae'n gwerthoedd ynddo'n gudd,
Ei dyndra ydyw'n ffydd;
Mae'r hwn fo'n gaeth yn rhydd.

Mae'r hen frawdgarwch syml
Tu hwnt i ffurfiau'r Deml.
Â'r Lefiad heibio i'r fan,
Plyg y Samaritan.
Myfi, Tydi, ynghyd
Er holl raniadau'r byd –
Efe'n cyfannu'i fyd.

Mae Cariad yn dreftâd
Tu hwnt i Ryddid Gwlad.
Cymerth yr Iesu ran
Yng ngwledd y Publican.
Mae concwest wych nas gwêl
Y Phariseaidd sêl.
Henffych y dydd y dêl.

Mae Teyrnas gref, a'i rhaith
Yw cydymdeimlad maith.
Cymod a chyflawn we
Myfi, Tydi, Efe,
A'n cyfyd uwch y cnawd.
Pa werth na thry yn wawd
Pan laddo dyn ei frawd?

Cyfeillach

*Cenais y gân hon ddydd Nadolig 1945. Yr oedd dirwy i un bunt ar bymtheg
ar ein milwyr yn yr Almaen am ddymuno Nadolig Llawen i Almaenwr,
meddai un o'r papurau.*

Ni thycia eu deddfau a'u dur
I rannu'r hen deulu am byth,
Cans saetha'r goleuni pur
O lygad i lygad yn syth.
Mae'r ysbryd yn gwau yn ddi-stŵr
A'r nerthoedd, er cryfed eu hach,
Yn crynu pan welont ŵr
Yn rhoi rhuban i eneth fach
I gofio'r bugeiliaid llwyd
A'u cred yn yr angel gwyn.
Ni'th drechir, anfarwol nwyd,
Bydd cyfeillach ar ôl hyn.

Gall crafangwyr am haearn ac oel
Lyfu'r dinasoedd â thân
Ond ofer eu celwydd a'u coel
I'n cadw ni'n hir ar wahân.
Ni saif eu canolfur pwdr
I rannu'r hen ddaear yn ddwy,
Ac ni phery bratiau budr
Eu holl gyfiawnderau hwy.
O! ni phery eu bratiau budr
Rhag y gwynt sy'n chwythu lle myn.
Mae Gair, a phob calon a'i medr.
Bydd cyfeillach ar ôl hyn.

Pwy sydd ar du'r angel yn awr,
A'r tywyllwch yn bwys uwchben?
Pererinion llesg ar y llawr,
Saint siriol tu hwnt i'r llen,
A miloedd o'n blodau, er eu bod
Yn y dryswch, heb chwennych chwaith –
Rhai yn marw dan grio eu bod
Yn y dryswch heb chwennych chwaith.
Cod ni, Waredwr y byd,
O nos y cleddyfau a'r ffyn.
O! Faddeuant, dwg ni yn ôl,
O! Dosturi, casgla ni ynghyd.
A bydd cyfeillach ar ôl hyn.

Dan y Dyfroedd Claear

Un o frwydrau mawr y Pasiffig

Dan y dyfroedd claear
Huna'r gwaed fu'n dwym
Wele, fawrion daear,
Rai a aeth o'ch rhwym.
Wrth eich gwŷs a'ch gorfod
Dygwyd hwy o'u bro.
Rhyddid mawr di-ddarfod
Gawsant ar y gro.

Gwyn a du a melyn
Dan y môr ynghyd
Ni bydd neb yn elyn
Yn eu dirgel fyd.
Dan y dyfroedd claear
Cawsant eang ddôr.
Wele, fawrion daear,
Gariad fel y môr.

Pa Beth yw Dyn?

Beth yw byw? Cael neuadd fawr
Rhwng cyfyng furiau.
Beth yw adnabod? Cael un gwraidd
Dan y canghennau.

Beth yw credu? Gwarchod tref
Nes dyfod derbyn.
Beth yw maddau? Cael ffordd trwy'r drain
At ochr hen elyn.

Beth yw canu? Cael o'r creu
Ei hen athrylith.
Beth yw gweithio ond gwneud cân
O'r coed a'r gwenith?

Beth yw trefnu teyrnas? Crefft
Sydd eto'n cropian.
A'i harfogi? Rhoi'r cyllyll
Yn llaw'r baban.

Beth yw bod yn genedl? Dawn
Yn nwfn y galon.
Beth yw gwladgarwch? Cadw tŷ
Mewn cwmwl tystion.

Beth yw'r byd i'r nerthol mawr?
Cylch yn treiglo.
Beth yw'r byd i blant y llawr?
Crud yn siglo.

Wedi'r Canrifoedd Mudan

Wedi'r canrifoedd mudan clymaf eu clod.
Un yw craidd cred a gwych adnabod
Eneidiau yn un â'r rhuddin yng ngwreiddyn Bod.

Maent yn un â'r goleuni. Maent uwch fy mhen
Lle'r ymgasgl, trwy'r ehangder, hedd. Pan noso'r
                                                                      wybren
Mae pob un yn rhwyll i'm llygad yn y llen.

John Roberts, Trawsfynydd. Offeiriad oedd ef i'r tlawd,
Yn y pla trwm yn rhannu bara'r unrhawd,
Gan wybod dyfod gallu'r gwyll i ddryllio'i gnawd.

John Owen y Saer, a guddiodd lawer gwas,
Diflin ei law dros yr hen gymdeithas,
Rhag datod y pleth, rhag tynnu distiau'r plas.

Rhisiart Gwyn. Gwenodd am y peth yn eu hwyneb
                                                                      hwy:
'Mae gennyf chwe cheiniog tuag at eich dirwy',
Yn achos ei Feistr ni phrisiodd ef ei hoedl yn fwy.

Y rhedegwyr ysgafn, na allwn eu cyfrif oll,
Yn ymgasglu'n fintai uwchlaw difancoll,
Diau nad oes a chwâl y rhai a dalodd yr un doll.

Y talu tawel, terfynol. Rhoi byd am fyd,
Rhoi'r artaith eithaf am arweiniad yr Ysbryd,
Rhoi blodeuyn am wreiddyn a rhoi gronyn i'w grud.

Y diberfeddu wedi'r glwyd artaith, a chyn
Yr ochenaid lle rhodded ysgol i'w henaid esgyn
I helaeth drannoeth Golgotha eu Harglwydd gwyn.

Mawr ac ardderchog fyddai y rhain yn eich chwedl,
Gymry, pe baech chwi'n genedl.

Cymru'n Un

Ynof mae Cymru'n un. Y modd nis gwn.
   Chwiliais drwy gyntedd maith fy mod, a chael
Deunydd cymdogaeth – o'r Hiraethog hwn
   A'i lengar liw; a thrwy'r un modd, heb ffael,
Coleddodd fi ryw hen fugeiliaid gynt
   Cyn mynd yn dwr dros war y Mynydd Du,
A thrinwyr daear Dyfed. Uwch fy hynt
   Deffrowr pob cyfran fy Mhreseli cu.
A gall mai dyna pam yr wyf am fod
   Ymhlith y rhai sydd am wneud Cymru'n bur
I'r enw nad oes mo'i rannu; am ddryllio'r rhod
   Anghenedl sydd yn gwatwar dawn eu gwŷr;
Am roi i'r ysig rwydd-deb trefn eu tras.
Gobaith fo'n meistr: rhoed Amser inni'n was.

Cymru a Chymraeg

Dyma'r mynyddoedd. Ni fedr ond un iaith eu codi
A'u rhoi yn eu rhyddid yn erbyn wybren cân.
Ni threiddiodd ond un i oludoedd eu tlodi
Trwy freuddwyd oesoedd, gweledigaethau munudau
                                     mân.
Pan ysgythro haul y creigiau drwy'r awyr denau,
Y rhai cryf uwch codwm, y rhai saff ar chwaraele
                                     siawns
Ni wn i sut y safant onid terfynau
Amser a'u daliodd yn nhro tragwyddoldeb dawns.
Tŷ teilwng i'w dehonglreg! Ni waeth a hapio,
Mae'n rhaid inni hawlio'r preswyl heb holi'r pris.
Merch perygl yw hithau. Ei llwybr y mae'r gwynt yn
                                     chwipio,
Ei throed lle diffygiai, lle syrthiai, y rhai o'r awyr is.
Hyd yma hi welodd ei ffordd yn gliriach na
                                     phroffwydi.
Bydd hi mor ieuanc ag erioed, mor llawn direidi.

Y Geni

Mor ddieithr, coeliaf i, fuasai i Fair
  A Joseff ein hanesion disglair ni
Am gôr angylion ac am seren, am dair
  Anrheg y doethion dan ei phelydr hi.
Ni bu ond geni dyn bach, a breintio'r byd
  I sefyll dan ei draed, a geni'r gwynt
Drachefn yn anadl iddo, a'r nos yn grud,
  A dydd yn gae i'w gampau a heol i'w hynt.
Dim mwy na phopeth deuddyn – onid oes
  I bryder sanctaidd ryw ymglywed siŵr,
A hwythau, heb ddyfalu am ffordd y groes,
  Yn rhag-amgyffred tosturiaethau'r Gŵr,
A'u cipio ysbaid i'r llawenydd glân
Tu hwnt i ardderchowgrwydd chwedl a chân.

'Anatiomaros'

Dywedai 'Gwelais dud trwy glais y don.'
  Dirhâi'r dychymyg Celtaidd trwy bob cur
Nes dyfod storm a'i chwalu; ac yn hon
  Ni adwyd iddo ond ei chwerwder pur.
Cerdded y godir garw, geol y byw
  Mewn môr di-ddiben. Ond mae craig lle tardd
Tosturi o'r wythïen nid â'n wyw.

Yn ymyl hon cyflawnwyd baich y bardd.
Anatiomaros! Aeth o'n gwlad trwy'r glais.
    Yn y gerdd arwest, ar ei ysgwydd ef,
Uwchben y weilgi bûm; a sŵn ei lais
    I ni oedd dychwel i'r ddiadfail dref
Lle mae pob doe yn heddiw heb wahân
A churo gwaed yfory yn y gân.

Y Morgrugyn

Ble wyt ti'n myned, forgrugyn,
Yn unig, yn unig dy fryd?
Gwelais dy ffrindiau wrth fwlch y waun
Yn gwau trwy'i gilydd i gyd
Cannoedd ohonyn-nhw!
Miloedd ohonyn-nhw!
Yn gwau trwy'i gilydd i gyd.

Wyt ti ar goll forgrugyn,
Ymhell o dy gartref clyd?
Gaf fi fynd lawr â thi i fwlch y waun
I ganol dy ffrindiau i gyd?
Cannoedd ohonyn-nhw!
Miloedd ohonyn-nhw!
Yn gwau trwy'i gilydd i gyd.

Y Byd Mawr

Pan ddaw 'y Nwncwl Ifan am dro o'r pyllau glo,
A geiriau od fel 'cwnni', a 'bachgan glên', a 'sbo'.
Bydd e' a Dadi'n siarad, a phobun yn dweud i siâr
Am Dreorcitonypandyaberdâr.

Rwy'n hoffi eiste'n dawel a gwrando ar ei sgwrs,
'Dwy ddim yn deall popeth sy gydag e' wrth gwrs.
Ond af i'r gweithiau rywbryd er mwyn cael gweld ble
ma'r
Hen Dreorcitonypandyaberdâr.

Dynion sy'n Galw

Pan ddaw Wil Lacharn heibio, fe'i clywch yn dod o
draw
Mae Mam yn siŵr o redeg ma's â phadell yn ei llaw.
Mae mwffler am ei wddw, 'dyw e' ddim yn gwisgo'n
smart,
Mae e'n gweiddi 'Cocs a fale' wrth y cart.

Pan ddaw Elic heibio, mae'n llusgo'i draed yn drwm
Wedi cerdded trwy y bore ar ôl cysgu yn y cwm.
Hen, hen got fawr amdano, 'dyw e' ddim yn gwisgo'n
swel,
Mae e'n gofyn, 'Alla i g'wiro wmbarel?'

Pan ddaw Gib y bwtshwr heibio yn ei drap o ben y dre,
Fe glywch drot-drot y poni bach yn glir o le i le.
Mae ganddo ffedog streipiog a chot hir ysgawn lân,
Mae e'n gofyn, 'Ie-fe tamed fel o'r blân?'

Y Garddwr

Mi gefais dâl gan Dadi am ei helpu ef mor dda,
A gwneud y pamau'n llyfn â rhaca fach,
Mi gefais rwn o dato, a hanner rhes o ffa,
A ffrwyth y pren afalau cochion bach.

Yr oedd hi'n anodd disgwyl, ond mae'r tato 'nawr a'u
                                                    gwrysg
Yn wyrddlas ac yn dew, a'u dail yn iach;
Mae'r ffa yn wyn gan flodau, a'r gwenyn yn eu mysg,
Ac O, y pren afalau cochion bach.

Daw'r ffa yn barod meddai Mam, i'w tynnu ar fy
                                                    mlwydd
Mi gadwaf rai o'r tato yn fy sach
Erbyn dydd Nadolig i'w bwyta gyda'r ŵydd,
Ond chadwa' i mo'r afalau cochion bach.

Blodyn a Ffrwyth

Gwelais rosyn ar y drysi,
Gwelais flodau gwyn y drain,
Gwelais flodau aur yn rhesi
Dan ganghennau'r onnen sbaen.
Blodau'r eithin mân, fe'u gwelais,
Gwelais flodau prydferth lu;
Ond ni welais
Ail i flodau'r pren afalau wrth y tŷ.

Profais eirin pêr ac orain,
Profais y syfien goch,
Profais rawnwin du o'r dwyrain,
A'r geiriosen lân ei boch.
Mwyar duon, llus, fe'u profais,
Profais ffrwythau melys lu;
Ond ni phrofais
Ail i'r afal ar y pren ar bwys y tŷ.

Myfyriwr yn cael Gras
a Gwirionedd

Lle rhyfedd iawn yw'r coleg,
Lle diflas iawn i'r sawl
Sy'n cysgu, dysgu, cysgu,
A dysgu fel y diawl.
Gan hynny wedi blino
Ar y 'Celfyddydau Cain'
Mi es am dro trwy'r caeau,
Ac yr oedd blodau ar y drain.

Mae lleng o ddamcaniaethau
Gan holl athrawon col.
Am farddas neu feirniadaeth
Baldorddant lond y bol.
Mae'r lle yn llawn o'u llyfrau,
Cyfrolau tew (ond main),
Ond os ewch ma's i'r caeau,
Wel, mae blodau ar y drain.

Mi fetha' i'r arholiadau
Rwy'n ffaelu'n deg â dweud
Pwy ydoedd hwn ac arall
A beth amcanent wneud,
A beth wnaf innau wedyn?
Beth wnaf i wedyn? *Djiain,*
Mae drain o dan y blodau
Ond bod blodau ar y drain.

Adduned

Cyflwynir i awdur **Ceiriog***

Onid yw ffasiwn yn beth mawr?
Mae pob rhyw lyfryn o'r wasg yn awr
Yn *Gyfres Newydd, Cyfrol 1.*

Rhyw fore sgrifennaf lyfr fy hun,
A dyma ei deitl: *Twm o'r Nant,*
Cyfres Cyn Cinio, Cyfrol Cant.

* *Saunders Lewis* : Ceiriog (*Cyfrol 1 yn y gyfres 'Yr Artist yn Philistia',*
Aberystwyth 1929)

Dychweliad Arthur

Pan ddaw fy Arthur i i'r lan
O'r ogof y bu ynddi cyd
Bydd gweiddi gyda'r werin wan
A gorfoleddu ledled byd.

Yn frenin balch yr aeth i lawr
I'w hendre rwysgfawr dan y gro,
Ond pwy a ddwed na chyfyd nawr
Yn withiwr creithiog du gan lo?

Dau Gryfion Gwlad

(Parritch *yw uwd ceirch Sgotland;* Carritch *yw* Shorter Catechism *yr Eglwys Galfinaidd yno. Y mae'n ddywediad ganddynt mai'r ddau hyn â'u gwnaeth yn genedl*)

Parritch a *Carritch,* hwy a gaed
Yn codi Sgotland ar ei thraed.
Ond *Pawl* a *Chawl,* mae'r ddau'n gytûn
Yn cadw Cymru ar . . . lle mae.

Sŵn

Mae cân mashîn gwahanu – a shî-shâ
    Rhyw siawns fashîn dyrnu
  Cyn felysed, rwy'n credu
  Â thelyn y deryn du.

Carol

Pan drethai Cesar yr holl fyd
Gan yrru pobl ei hawl ynghyd,
Pryd hynny ganed baban Mair
A'i roi i orwedd yn y gwair.

Ni wyddai'r ymerodraeth wych
Am eni'r oen yng nghôr yr ych,
Ac am roi bron i faban gwan
I godi teulu dyn i'r lan.

Ond nid oes leng gan Gesar, mwy,
All chwalu eu cyfrinach hwy,
Cadarnach fyth na rhyfel certh
Cans caru gelyn yw ei nerth.

Deled y gân drwy'r dymestl wynt,
O Fethlehem Effrata gynt.
Caned angylion yn gytûn
Nes geni ynom Fab y Dyn.

O tyfed y Winwydden Wir
A changau tewfrig dros bob tir,
Onid arddelir ym mhob bron
Frenhiniaeth nid o'r ddaear hon.

Englynion y Rhyfel (1941)

Y Radio:
Cân Propoganda'n gyndyn,
Hysbys y dengys y dyn
O ba badell bo'i bwdin.

Y Werin:
Werin a fu, mae'r hen faeth?
'Byw dan gamp yw bod yn gaeth:
Ni blygwn, yn boblogaeth.

O faeddu, dyma fyddwn:
Meistri caeth ym mws Tre-cŵn,
Eiddo'r peiriant ddarparwn ['].

Y Drefn:
Drud bwyd a rhad bywydau;
Cuddio'r gwir, cyhoeddi'r gau;
Tolio'r blawd, talu â'r blodau.

Y Milwr:
Ei wobr yn fach, wybren faith,
Gwely pell ar gil y paith,
A'i Gymru fyth dan gamraith.

Apologia (1946)

Mi ddwedaf wrth Bedr
Hyd eithaf fy medr
Heb ildio ychwaith, fy chwedl:
'Yr wyf o Gymru lân
Ond ni yrrais un gân
I'r *Western Mail* yn fy hoedl.

Ni thraethais un gec
Ar y BBC,
Ac ni thelais i'r Urdd Raddedigion'
Bydd hyn, 'choeliai lai
Yn ddigon i'm rhoi
Ymhlith y gwynfydedigion.

Yr Uch-Gymro

Mae e'n dechrau sôn am ddiwylliant –
Rhedwch ar ôl y dryll
Neu'r geiriau nesaf a ddaw o'i geg
Fydd 'Y golled i Gymru os cyll . . . '
Mae popeth modern yn wrth-Gymreig,
Mae popeth poblogaidd yn hyll,
Ond, hyd angau, Diwylliant, Diwylliant,
Diwylliant . . . Diwylliant . . . Di-wyll.

Cân o Glod i J. Barrett Ysw., gynt o lynges ei Fawrhydi, garddwr Ysgol Botwnnog yn awr.

Paham na weithia Barrett un pwt?
Pam y saif fel colofn yno?
Am fod dau Eidalwr, bob un ar ei glwt,
Yn gweithio heno o dano.

Bu Barrett am oes ar y moroedd draw,
Bu'n dŵr rhag ystrywiau mileinig,
Bu'n cadw poblach didoreth di-daw
Dan yr Ymerodraeth Brydeinig.

Yn ofer yr âi'r gwylio dewr ar y don,
Yn ofer pob gwrol orchfygu,
Pe gwelid Barrett yn awr ger bron
Y ddau Eidalwr yn plygu.

Does fawr rhwng y wops, a'r chincs, a'r blacs
Mae eu crwyn yn eu tyngu i'w gilydd,
O! Barrett rhag dyfod penrhyddid pob rhacs
Ymgadw uwchlaw cywilydd.

Ymglyw â gorchymyn meistres y môr
Yn fwrlwm o'th fewn: NA PHECHA;
Na chyfod un daten, 'mwyn Singapôr,
Ond tawel ymrô i'r Gorucha.

Da Barrett, ti sefaist yn llafn uwch y llawr
Nes dyfod y gwlith a'i lleithio.
Dy frwydr ffyrnicaf dros Brydain Fawr –
Gorchfygaist yr awydd i weithio.

['*Sais twymgalon*', *cyn-hyfforddwr yn y Llynges, oedd John Barret, a
garddwr-athro yn Ysgol Botwnnog pan ddysgai Waldo yno. O
wersyll carcharorion yn y Sarn y daeth y ddau Eidalwr i weithio yng
ngardd yr ysgol. 'Afaelodd o ddim mewn rhaw na bygwth rhoi fforch
yn y ddaear yng ngŵydd yr Eidalwyr, dim ond sefyll yn urddasol a
symud yn fonheddig, fel y gweddai i goncwerwr yng ngŵydd
carcharor . . . Yr oedd yna enaid addfwyn hefyd o dan yr Ymerodrwr
digyfaddawd'. Gwybodaeth gan Gruffudd Parry.]*

Y Cantwr Coch

Mae'r cantwr coch o rywle
Yn meddwl ei fod e'n wych,
Ond mae ei ddatganiadau
Yn annioddefol sych;
Fe'i clywais ef pwy noswaith
Yn rhygnu trwy ei diwn –
'Dyw Natur wedi ei dorri ma's
Na Dyn wedi ei dorri i miwn.

Roedd pawb yn gwrando arno
Mewn hiraeth am yr awr
Y dôi i'r nodyn olaf
A dod o'r llwyfan lawr;

Roedd Dai yn ddiamynedd –
Clywais e'n dweud wrth Ann:
'O na bai'r dyn yn torri lawr
Neu'r cwrdd yn torri lan.

(Motor Beic)

Mae motor beic 'da William
Triumph, medde fe,
Ond ei ffydd e, neu'i ffolineb
Sy'n dal popeth yn ei le.
Twein a weier yn lle lifers,
Mae'n rhatlan lawr trw'r stryd,
Os taw dyna beth yw *Triumph*
Wel fe leicwn weld 'Defeat'.

Yn yr Ysgol Sul (Trioled)

'Rwy'n meddwl yn fynych fy mod i'n cablu
Wrth ladd ar gred yr hen frodyr hyn,
Gwell dynion na mi. I beth wyf i'n dablu?
'R wy'n meddwl yn fynych fy mod i'n cablu
Pan glywaf John Maes yr Hydre'n parablu
A'i enaid yn dân dros yr Iesu a fynn.
'R wy'n meddwl yn fynych fy mod i'n cablu
Wrth ladd ar gred yr hen frodyr hyn.

Gweddi Cymro

O Ysbryd Mawr y Dwthwn Hwn,
Reolwr bywyd cread crwn,
Arglwydd dy etholedig rai,
A fflangell pob meidrolach llai,
Plygaf yn isel ger dy fron
A diolch lond y galon hon
Gan gofio nawdd d'adenydd llydain
Dros wychter Ymerodraeth Prydain.

O derbyn fi yn ufudd was
Er mor annheilwng yw fy nhras –
Adyn o Gymro oedd fy nhad
Heb ganddo hawl i'w iaith na'i wlad.
Erys fy mrodyr yn y cnawd
Hyd heddiw yn werinwyr tlawd
Heb ffordd i dreulio'r bywyd salaf
Ond trwy ryfeddol ras Cyfalaf.

Ond nid wyf fi, a'm henaid gwyn,
Megis y pechaduriaid hyn.
Diolchaf, Arglwydd, mai fy mraint
Yw cael fy rhestru 'mhlith dy saint.
Ni'm gwelir i fel dynion is
Yn nwylo cyfiawn dy Bolîs.
Rwy'n selio'm ffydd yn nerthoedd masnach,
Ac O! rwy'n caru plesio'r Sasnach,
O, derbyn fi yn ufudd was
Er mor annheilwng yw fy nhras.

Diolchaf am dy weithrediadau
Dros Ymerodraeth fawr fy nhadau,
Y mae'th gyfiawnder yn ddi-ffael –
Llosgaist gartrefi'r werin wael
Ym Malisianti a Thralî;
Saethaist Connolly drosom ni,
Lladd eto bob dihiryn erch
Wrthodo blygu it, a'i serch
Ar freuddwyd cudd yn nwfn ei galon,
O cynnal ni trwy'r holl dreialon.

Diolchaf it am garchar handi
At hen gyfrinydd ffôl fel Gandhi –
Barbariad, croenddu, digywilydd
Yn dweud na ddylem ladd ein gilydd.
A diolch it am fod yn darian
I fonedd byd, a'u haur a'u harian;
Am fod plant bach yn China rydd
Yn chwysu deuddeg awr y dydd
Heb weled cwsg nes torro'r wawr –
Er chwyddo golud Prydain Fawr,
O, Famon, derbyn diolch sant
Am dy drugaredd at dy blant.

Rho di dy fendith ar fy masnach,
Gwna fi yn debyg iawn i'r Sasnach,
Anghofia di fy anwar dras,
A derbyn fi yn ufudd was.
Eiddot yw'r gallu yn oes oesau,
Amen. (Fe gwyd oddi ar ei goesau).
'Wel cofia fod yn barod, Gwenno,
I ginio'r Cymmrodorion heno'.

Cân i Ddyfed
(Ar y dôn 'Gwenith Gwyn')

Mae Dyfed lân a'i glannau gwell
Ar gyrrau pell y gorwel
O'i chyfyl cudd clywch hafal cân
Yn dyfod yma'n dawel,
O gêl y môr daw galw mwyn
A heddiw wy'n awyddu
Am ledu'r hwyl am Wlad yr Hud
A glanio'n glyd, a glynu.

Pa le fel Penfro, wenfro wiw
A lanwodd Duw haelionus
Â dwylo ffri yn dal y ffrwyth
A'u dal i'w dylwyth dilys?
Difera dawn yr adar du
Afradlon, lu hyfrydlais,
A chanu'r hedydd yn yr ha
Yw'r glana, gloywa glywais.

Pan rwygo'r fron ellyllon, llu,
A dyddiau du dioddef,
A phan â Swyn yn ffynnon sych,
'Teg edrych tuag adref',
O anfri'r oes i'r henfro af
Lle caf pob cyfaill cywir,
I'r aelwyd lân a'r tân a'r to
Sy'n reso na oroesir.

Gwaed

Canys fe orweddai gŵr hyd angau
Yn ei wely mewn ysbyty pell;
Cafodd beint o waed gan lanc o Gymro,
Pumpunt iddo roes 'rôl dod yn well.

Cyn pen blwyddyn fe orweddai eto;
Dwedwyd 'Rhaid cael cwart i'w wella'n grwn',
Meddai'r gŵr – 'Pa le mae'r llanc o Gymro?'
Dwy a chweugain gafodd y tro hwn.

Trydydd tro a fu, a llwyr wellhaodd.
Pump ar hugain oedd y tâl a wnaed.
Cafwyd yr esboniad gan feddygon –
Cardi oedd y llanc a roes y gwaed.

Galw'r Iet

(Ar ffordd fawr yn Shir Bemro)

Arhosed damed bach, drafeilwr,
A sugned i wala fan hyn,
Ma'r weninen yn crwydro'n ysbeilwr
Dros flode'r camil gwyn.

Cered lawr trw'r feidir pentigili,
A driched trw'r bwlch yn y claw';
Bydd e'n dewyll os na welith e'r Nefodd
Yn ochor Parc Draw.

Ma raid i fi weud bod amser jogel
'Ddar buodd dyn dierth co,
Ond bydd 'heni damed gwâth o achos hinny,
Ma greso i bawb sy'n rhoi tro.

A ma'r perci yn drichid mor ifanc
A we nhw slower dy'
Sach bod mwy o ragwts yn tiddi co heddi
Na phan we Hoffi 'da ni.

Ond ma bowid wedi'r cwbwl yn y ragwts,
A ma bowid ar y cloddie yn llon,
Arhosed damed bach, drafeilwr,
A sugned lond 'i fron.

Trw'r dy' yn y cwed yn y gweilod
Ma'r adar a'u llaish dros y lle,
A 'da'r nos ma'r gwdi-hw yn treial canu,
(Ond sdim pŵer o glem dag e).

A ma'r Fŵel yn codi yn y pellter
Yn gwilied dros y wlad yn 'i grym;
Arhosed damed bach, drafeilwr. Shwrne to – Hei,
drafeilwr!
So'r trafeilwr yn silwi dim.

Ma'r trafeilwr yn 'i gar yn ddyn o fusnes –
Arian, ffortiwn; moethe mowr; pleser pell,
A chlywith e ddim byth o'r iet yn galw,
A gwelith e ddim byth o'r golud gwell.

Ond yn hongian ma'r hen iet joglyd
Dan gisgod yr onnen ar ben claw',
A'r pyst yn mynd bob dy' yn fwy mwsoglyd
Yn yr houl, a'r gwynt a'r glaw.

Yr Iaith a Garaf

Pan oeddwn blentyn seithmlwydd oed
Dy lais a dorrodd ar fy nghlyw.
Fe lamaist ataf, ysgafn-droed,
Ac wele, deuthum innau'n fyw.

O, ennyd fy llawenydd mawr!
Ni buaswn hebddo er pob dim,
Cans trwy'r blynyddoedd hyd yn awr,
Ti fuost yn anwylyd im.

Dwysach wyt ti na'r hwyrddydd hir,
A llonnach nag aderyn cerdd,
Glanach dy gorff na'r gornant glir,
Ystwythach na'r helygen werdd.

'Does dim trwy'r byd a ddeil dy rin
'Does hafal it ar gread Duw,
A chlywaf wrth gusanu'th fin
Benllanw afiaith popeth byw.

Dwysâ fy nghariad gyda'th glwyf,
A dynion oer dideimlad sych
A ddywed im mai ynfyd wyf,
Mai marw y byddi yn dy nych.

O, am dy ddwyn o'th wely claf!
O, na chawn nerth i'm braich gan Dduw!
Ond er fy ngwanned, tyngu wnaf –
Na chei di farw tra bwyf byw.

Wil Canaan

('*Crydd go-lew o Gwm Rhydwilym ond athrylith o adroddwr celwydd golau*'. B G Owens)

Gofynnodd rhywun iddo ef un tro,
"Nath storom ddamej neithiwr lan 'da chi?'
'Wel na', yn ei lais main, 'dim niwed clo.
Fe dda'th llucheden miwn 'co biti dri,
Fe godes i dan bwyll i'w gollwng ma's.
A'th ma's fel ŵen bach swci'. Crefftwr llwm,
A'i storïau doniol, dwl, o hyd, trwy ras
Yn olud llafar yng nghartrefi'r cwm.
Darfu pob dim a soniai am ei fedr
Yn llunio clocs cymdeithas wrth y fainc,
Pydrodd y gwadnau llwyf a'r gwaldiau lledr.
Ei Fabinogi a fydd yn wyrddlas gainc,
Tra dywed gŵr mewn tyrfa neu mewn tŷ
'Ys gwedo'r hen Wil Canaan 'slawer dy' '.

Thomas Hardy

Fe ddywed gwŷr amdanat, hen Nofelydd,
'Ynfyd yw ef, yn troi o'r heulwen gu
A'r ddaear lon, ac aros yn breswylydd
Y nos ddi-loer yr anfoddusion lu'.
Fe ddywed gwŷr amdanat, hen Nofelydd,
'Nid yw athroniaeth dyn fel hwn yn iach'.
Ond creaist Tess a'i hurddas dihefelydd
Yn herio'r Grym â'i chalon unig fach.
A gwŷr fy mron mai gwir dy air, Nofelydd,
Pan ddwedi di yn syml ac yn goeth,
'Cyd a bo hon mewn ing ac mewn cywilydd,
Nid ydyw Duw yn rhydd, neu nid yw'n ddoeth'.
Hwythau yn beio, beio ar eu rhyw,
A thithau yn rhyddhau, neu'n dysgu Duw.

Cân imi, Wynt

Cân imi, wynt, o'r dyfnder ac o'r dechrau.
Cân imi, y dychymyg mwyaf maes.
Harddach na golau haul dy gerddi tywyll,
Y bardd tu hwnt i'n gafael ym mhob oes.

Fe genit imi'n grwt yn Ysgol Arberth
A llamu'n uwch na'm llofft o Ros y Dref,
Fy nghuddio â'th gyfrinach heb ei rhoddi,
A minnau ynddi ac amdani'n glaf.

Mi lanwaf y dirgelwch â'm blynyddoedd,
Cans dan y bargod canu'r oet, mi wn,
Am bethau oedd i fod nes myned ymaith
Ac aros hefyd yn y galon hon.

Cân imi, wynt: nid wyf yn deall eto
Y modd y rhoi i'n tristwch esmwythâd;
Cân inni, enau'r harddwch anorchfygol.
Ti wyddost am y pethau sydd i fod.

Llanfair-ym-Muallt

Gwlad wen yn erbyn wybren oer
Oedd olaf argraff llygaid llyw.
Ni chofir dan yr haul na'r lloer
Ei ddyfod beiddgar gan y byw.

Eiddynt yw'r ymerodraeth well
Ac fel eu tadau gynt bob gŵr,
Eu gobaith ddaw o'r palas pell
A'r pen yn pydru ar y tŵr.

Gofyn i'r teyrn am ganiatâd
I dorri'r tafod, mae'n ddi-lai,
A'i rannu rhwng bwrdeiswyr brad
A'i hoelio uwchben drysau'r tai.

'Gwlad Wen'; cyfeiriad at yr eira ar lawr pan laddwyd Llywelyn. 'A'i hoelio uwchben drysau'r tai' – yr unig Gymraeg a welodd Waldo yn Llanfair-ym-Muallt oedd enwau'r tai'. Cywasgedig, fel y gwelir, yw'r mynegiant, ond efallai y caniateir hynny yn y gerdd a oedd i bob golwg yn gerdd olaf y bardd. Gw. J.E. Caerwyn Williams; *Cerddi Waldo Williams* (Gwasg Gregynog 1992), 112.

Llandysilio-yn-Nyfed

Mynych rwy'n syn. Pa olau o'r tu hwnt
Eglurodd Grist i'w etholedig rai
Pan oedd ein byw yn farus ac yn frwnt
Heb fawr o'i fryd na'i ddelfryd ar ein clai?
'Rwy'n cofio fel yr aem i ddrws y tŷ
Pan ganai cloch y llan am flwyddyn well;
'Roedd mwynder Maldwyn eto ar Ddyfed gu
Pan âi'r dychymyg ar ei deithiau pell
Yn nhrymder nos. Gwelem y fintai fach
Heb ddinas camp yn ieuo'r byd yn un.
Ac yn eu plith gwelem yn glaerwyn iach
Yn wenfflam gan orfoledd Mab y Dyn
Dysilio alltud na chwenychai'i sedd
Ym Meifod gynt, rhag gorfod tynnu cledd.

Llyfryddiaeth
(Codwyd y cerddi uchod o'r llyfrau
a'r llawysgrifau canlynol)

tt. 10-43 Waldo Williams: *Dail Pren* (Gwasg Aberystwyth
(Gomer), 1956)

tt. 44-47 E Llwyd Williams, Waldo Williams: *Cerddi'r
Plant* (Gwasg Gomer, ail argraffiad, 1976)

'Yr Iaith a Garaf', 'Cân i Mi Wynt', 'Llanfair-ym-Muallt'
a 'Llandysilio-yn-Nyfed' o J E Caerwyn Williams (gol.):
Cerddi Waldo Williams (Gwasg Gregynog, 1992)

'Gwaed', 'Wil Canaan' a 'Thomas Hardy' o 'Casglu
Gweithiau Waldo Williams', erthygl gan B G Owens yn
Robert Rhys (gol.) *Waldo Williams* (Cyfres y Meistri 2,
Christopher Davies, 1981)

'Cân o glod i J Barret', 'Gweddi Cymro', 'Carol',
'Apologia', 'Yr Uch-Gymro', 'Y Cantwr Coch',
'Englynion y Rhyfel' o LLGC 19289.

'Myfyriwr yn cael Gras a Gwirionedd', 'Adduned',
'Dychweliad Arthur', 'Dau Gryfion Gwlad', 'Sŵn', 'Cân
i Ddyfed', 'Yn yr Ysgol Sul' a 'Motor Beic' o LLGC
20867.

Yn achos y gerdd 'Galw'r Iet' lluniwyd y testun o'r
fersiynau ohoni a welir yn LLGC 20867 ac ym *Maner ac
Amserau Cymru* (13 Medi 1927), 5.